시인 이교준

우리가 불안하지 않았으면 해요.

시인 이동건

소중한 당신에게

시인 고은서

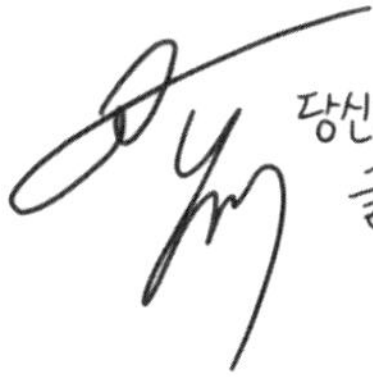

당신의 행복을 위해
글을 쓸게요.

시인 류연주

항상 웃음지을 일
가득한 일상이기를
응원합니다 :)

시인 홍성민

한 편, 한 구절이라도
보는 마음에 가닿기를.

오늘은

그대에게

고운 꽃을 보내봅니다

오늘은
그대에게
고운 꽃을 보내봅니다

이교준

두꺼운 옷을 껴입을 때면
가슴에 감정이 자주 얹히곤 했다

더부룩한 마음을 내리고자
제멋대로 접혀있는 과거의 모서리를
열어 그곳에 며칠간 머무르기도 했다

접어둔 모서리가 너무 많아
자주 과거에서 길을 잃었다

instagram @k__joonsalad
email kyojoon93@yonsei.ac.kr

「 사랑이라는 단어보다는 네가 좋았다 」

이동건

당신의 삶을
잠시 여행(旅行)했습니다.
머무를 때에는 보지 못했던 것들이
왜 이제야 보이는지요.
아득히 먼 곳에서
해가 슬그머니 고개를 들어
동해(東海)를 붉은빛 비단으로 덮어옵니다.
들려오는 뱃고동 소리,
아아-이제 이곳을 떠나야 할 때인가 봅니다.

instagram @writergeon

email ehdrjs1647@naver.com

「 다정한 시선 」

고은서

사랑하는 당신이
누군가의 어떤 이가 아닌
어떠한 누군가가 되길 바라며

그 무엇보다
밝게 빛나길 바라며

나는 오늘도
당신을 사랑합니다.

instagram @mikanggyul

「 당신을 위한 사랑과 위로 」

류연주

좋은 부모 만나
과분한 사랑
듬뿍 받으며
자랐습니다

따뜻하고
귀한 마음
이렇게 글로
전합니다

제 부모이셔서
고맙습니다
고마웠습니다.

instagram @elmo_ryoo
email elmo0718@naver.com

「 어머니께 들려주고 싶은 이야기 」

홍성민

시인이란 호칭이 부끄럽습니다
아직 시가 무언지도 잘 모릅니다

제가 적어 내린 것은 그저
그대들께 빚진 귀한 사랑들

표현은 쉽고 가벼울지라도
여운은 결코 가볍지 않길 바랍니다

한 편, 한 구절이라도
보는 마음에 가닿을 수 있다면
참으로 행복할 텝니다

instagram @minifilm_98
email h3166@naver.com

「 사랑에 관하여 」

이교준

–

사랑이라는 단어보다는 네가 좋았다

떠들썩한 불안에
고요한 함박눈 내려

어느 새벽만큼은 부디 편안하길

빗방울의 개수를 세어보았다

창문에 둘러앉은 빗방울의 개수를 세어보았다

창밖 너머를 보려 하면 비 대신 당신이
내 마음에 쏟아져서 나도 쏟아져버릴 것 같았다

아무것도 바라보지 않으려 눈을 감으면
바닥에 똑똑 노크하는 빗방울들의 소리가
떠나가는 당신의 발자국 소리같아
목메어 이름 부르게 될까 봐
눈을 감을 수 없었다

그래서 아까보다 조금 더 많아진
빗방울의 개수를 세고 있다

야속한 비는 멈추지 않고 계속 내렸다

이제 개수를 세는 일마저
하기 힘든 일이 되었다

스크린 도어가 열립니다

닫혔던 지하철 문이 다시 열린다는 건,
누군가의 미련이 문 사이에 끼였다는 것

닫혔던 지하철 문이 다시 열린다는 건,
누군가의 용기가 머뭇거리다
제 역에서 내리지 못했다는 것

닫혔던 지하철 문이 다시 열린다는 건,
길게 늘어진 누군가의 걱정이 아직 열차에 다 오르지
못했다는 것

지하철 문이 다시 닫히고 출발한다는 건,
덩그러니 남겨진 감정과
가까스로 차에 오른 감정이
서로 다른 속도로, 다른 방향으로
멀어질 일만 남았다는 것

순간

당신이 저에게 미소 지어준 그 날,
며칠간 쉽사리 잠들 수 없었습니다

당신이 내 손을 잡아준 그 날,
몇 달간 그 순간 생각을 하며 이상한 사람처럼
얼굴을 붉히고 행복에 온몸이 간지러웠습니다

당신과 입 맞춘 그 날,
몇 년간, 꽤나 긴 시간 동안
당신이라는 세상 속에 살게 되었습니다

당신이 이별을 고한 그 순간,
아마 평생은 지워지지 않을 것 같은
아픔을 느꼈습니다

당신의 순간은 나에게는 평생이 되었습니다

유독 새벽에는 목이 마릅니다

문득 목이 말라 잠에서 깬 새벽에
이유 없이 당신이 무척 그리웠습니다

추적추적 내리는 봄비를 따라
늘 지나는 길을 걸으며 당신을 그리워했습니다

사람이 무척이나 붐비던
퇴근길 지하철에서 당신이 생각났습니다

방안에 불빛을 거뒀을 때
이상하게 당신이 또 한 번 떠올랐습니다

사실은 당신이 너무나도 그리워서
내일 새벽에도 목이 마를 것 같습니다

빗자국

예고 없이 쏟아지는 감정 속에서
우산을 쓰고 걷는다

피해 보고자 서두르고 싶지만
발걸음이 빨라지면 행여나 바지에 튈까 봐
젖지 않을 정도로, 남들은 모를 정도로
속도를 내어본다

지붕 아래에 도착했을 때
구멍이라도 난 듯 쏟아지던 감정은
아무 일도 없다는 듯이 잦아들었다

젖지 않으려 노력했지만
흥건히 젖어버린 바지에
쉽사리 지워지지 않을
흔적을 남기고 잦아들었다

차라리 우산이라도 쓰지 않았다면
흠뻑 젖어버려
볼썽사나운 자국은 남지 않았을 텐데

하늘과 한강을 반으로 접으면

하늘 높이 연처럼 날려 보낸 내 마음이
한참 지나 이제서야 저 높은 곳에서
펑 하고 터진 듯
출근길 안개를 흩뿌려
강과 하늘을 같은 색으로 칠했다

차마 날려 보내지 못한 마음들은
반으로 접어 숨겨두면
마음도 반만 신경 쓰일까 줄 맞춰 접었더니
낯선 모습의 데칼코마니가
남아있는 마음을 하나 더 그려 넣었다

너무 높이 올라가다 터져버린 마음의 안개 속에서
유일하게 선명한 건 반쯤 접혀있는 데칼코마니

어디가 강이고 어디가 하늘인지 알지 못한 채
오래전 보내줬던 마음에
한참이 지난 오늘에서야 익사했다

블라인드

적막한 어둠이 내려앉은 밤,
조금이라도 새어 들어올지 모르는
빛이 싫어서
커튼을 칠게

칠흑 같은 어둠이
어렸을 때는 너무나도 무서웠지만
지금은 오히려 잠을 깨우는
옅은 빛이 더 무서워

그런데 커튼보다는 블라인드가 좋을 것 같다

사실은 빛이 조금은 들어와 줬으면 하나 봐
일단 조금은 가리고 어둠 속에서 잠을 청할게

여름이 내립니다

붉어진 눈 비비며 잠이 오지 않는 밤
한없이 당신을 기다렸습니다

행여나 나를 찾아주지나 않을까
조용한 전화기만 바라보다 그렇게 오늘도
기다리고 있는 내 모습이 전화기에 비쳤습니다

작은 소리에도 당신일까 싶어 귀 기울여봤지만
아무것도 나를 찾아주지 않았습니다

창밖에는 여름이 내립니다
여름이 내리는 소리만 들려옵니다

그 새벽 날에는 여름만 추적추적 내렸습니다

요란한 마음

오늘은 이른 새벽부터 할 일이 참 많아

어제 밤새 지저귀느라 내 속을
울렁거리게 만든 새들을
창문 활짝 열어서 날아가라 응원해줘야 하고

어디서 새는 건지 한 방울씩 똑똑
얼굴에 떨어지던 물도 닦아내고 고쳐야겠어
그쪽에서 네가 실수로 눈 깜빡이다 흐른 물이라면
굳이 안 닦아내도 되겠지만
너는 눈을 잘 깜빡거리지 않잖아

할 일들을 얼추 머릿속에 정리하는데
해가 벌써 도망갈 채비를 하네
요번 연도 겨울에 쫓겨서
순식간에 달아난 가을 같네

아직 가을이던가,
해가 마음 급한 거 보면 겨울인 게 확실해

덕분에 괜스레 내 마음도 급해지는데
할 일이 산더미인데

내 속을 가득 채운 새들이 시간이 늦어
날 밝으면 나가겠다 떠들어대네

사실 나갈 생각도 없는 거 같아 저 녀석들

마음이 요란했던 하루가

검은색에 쫓겨 다니는 햇빛처럼
눈 내려야 해서 자리를 만들라고 쫓겨난 가을처럼

너무 빨리 달아나 버려서
마음 요란한 내일이 어제보다 일찍 와버렸다

이렇게 또 울어버려서

그날따라 터져 나온 울음은
두 손으로 가만히 막지 않으면
언제까지 나올지 몰라
황급히 눈물 고인 두 눈을 가려버렸습니다

지금 눈물 흘리는 모습도 미워져서
나중에 더 큰 울음이 될까 봐
내 모습을 황급히 숨겼습니다

지금 이 못난 모습이 더 못나 보일 걸 알기에
눈치 없는 울음은 더 서글프게 나올 뿐이었습니다

눈물 고인 눈이 아닌
우는 내 모습을 바라보는
당신의 눈을 가릴 걸 그랬습니다

유난스럽게

누군가에게는 유난이었고
누군가에게는 공감이었다

나에게는 숨 막히는 바다 한가운데였고
그 사람에게는 잔잔한 바다 한가운데였다

일말의 눈인사라도 바라는 나의 간절함은
누군가에게는 이해 안 가는 유난일 뿐이다

물 주는 일을 까먹었어도
잘 버텨주고 있던 화분이
어느 날 비명 한번 안 지르고
흙빛을 띠는 것처럼
유난스럽지 않게 버텨보고 있다

나의 유난함은 누군가에게는
그저 불편일 뿐이기에

유난스럽지 않게, 잔잔하게 죽어가고 싶다

그날의 달은 어떤 모습이었을까

또렷했던 과거의 기억들은
시간이란 바람에 닳고 닳아 한없이 희미해진다

평생 잊히지 않을 것 같던 기억들도
애절하게 매일 꺼내 펼쳐보지 않으면
오래된 사진들처럼 그 빛을 잃어간다

그날의 달은 초승달이었다가 반달이었다가,
또 보름달이 된다.

아름다웠던 추억을 놓치지 않으려면
현실에 눈감고 추억 안에서 살아가야 하는 걸까

오늘의 달은 어떤 모습으로 변할까

숙취

지하철이 입을 한껏 벌려
아까 삼켰던 사람들을 잔뜩 토해낸 뒤
쓱 닦아내고는 다시 가득 삼킨다

전 전역에서는 머리 벗겨진 아저씨를 태웠구나
전역에서는 양손 무거운 할머님을 태웠구나
아까 먹던 안주는 김치전이었나보다

애써 게워내고는
어째서 눈물 한 바가지 다시 넘겼을까

목구멍 가득 차게 쥐어짜는
색색의 옷을 입은 감정들은
저마다 목적지가 있나 보다

제 갈 길 가기 위해 나를 지나가나 보다
제 어미 보러 간다고 나를 타고 가나 보다

유영

유난히 해가 길어진 6월 말의 어느 날,
조금은 답답하게 느껴지는 지하철 대신
버스를 타고 집으로 향한다

8시가 가까워졌음에도
해가 완전히 지지 않은 것을 보며
이미 여름이지만 새삼 시간이 나에게
거짓말하지 않았구나 곱씹는다

난시 때문에 또렷하지 않은 바깥 풍경을 바라보며
내가 무슨 생각을 하는지는 모르지만
많은 생각이 들고 있다는 확신만 갖는다

그렇게 생각 어딘가를 유영하다
가로등에 불이 들어왔다

그 순간 내 모든 생각이 당신이 되었다

사실 이미 당신 생각뿐이었을지도 모른다
사실 이미 모든 생각이 당신이었다

잘 지내고 있습니다

어떻게 지내냐는 인사말에
쉽사리 대답하지 못했다
잘 지냈다는 대답이
머릿속에서는 분명 떠올랐는데
입 밖으로 그 말을 꺼낼 수가 없었다

잘 지내고 있다고 생각해왔는데 그게 아녔을까,
그냥 이라는 말로 짧은 답변을 한다

사실 잘 지낸다는 게 뭔지 잘 모른다

어떻게 하면 잘 지낸다는 말을
편히 할 수 있을까.

잘 지내보고 싶어서 급하게 그냥이라는 말 뒤에
잘 지낸다는 말을 덧붙였다.

초라하게 덧붙여버린 그 한마디가

물이 말라버린 어항 속 금붕어의 입이
뻐끔거리는 것처럼 보이게 만든 것은 아닐까

꽃을 드릴게요

꽃을 선물한다는 건

예쁘다는 말을 입에 담으면
당신이 부담스러워할까 봐,
혹은 너무 자주 들어
의미 없는 안부 인사처럼 흘려들을까 봐

사실 예쁘다는 말 꺼내기 부끄러워
에둘러 표현하느라,
한순간 지나가는 말이 아닌,
평생은 아니겠지만
조금이라도 더 오랜 시간을 지켜줄
예쁘다는 표현을 하기 위해

꽃보다 아름다운 당신에게
무슨 꽃이냐고 하겠지만
가끔 당신은 당신의 아름다움을 까먹는 거 같아
최대한 당신만큼 아름다운 꽃을 선물하며
당신은 이 꽃보다 아름답다고 말해주기 위해

앞으로도 종종 당신에게 꽃을 피워줄게

굴레

상심의 굴레 속으로
어째서 나를 던져놓은 것이냐고
너에게 따지듯이 묻고 싶다

붉은 꽃 피기 위해
비가 내리길 하염없이 기다리는
초록빛의 식물들처럼,
조금은 괜찮은 하루가 되길 기다리며
당신이 올 때까지 당신을 되뇐다 소리치고 싶다

소나기 지나가듯 당신이 다가오면
상실의 굴레보다는 낫지 않겠느냐고
나에게 다그치듯 삼켜낸다

열기구는 어떤 마음으로 가득할까

응어리진 감정들이
바늘로 콕 하고 찌르면
당장이라도 굉음을 내며 터질 것처럼
풍선 아니 열기구같이 둥둥 떠다닌다

여유롭게 떠다니던 감정들은
하늘을 모두 가려버리게
세포가 증식하듯 끝없이 불어난다
속이 메슥거린다

하나하나 터뜨리지 않으면 내 마음 모두 가려
마음의 색을 볼 수 없을 텐데

바늘로 찌르기엔 너무 높이 떠다닌다
괜스레 이뻐 보이기도 하는 것 같고,

펑 하고 터지면 그 안에는 한숨일까 눈물일까
뭐라도 너무 많이 흘려버려
내가 또 질식해버리면 어쩌지

무력감

선인장을 사랑한 아이가 있었다

옆을 지키며 바라보다 문득
선인장이 외롭지는 않을까 걱정이 되었다
따뜻한 사랑을 전해주고 싶어
선인장을 두 팔 벌려 꼭 안아주었다

선인장의 가시가 아이의 온몸을 찔러
연약한 피부는 견디지 못하고 빨간 피를 토해냈다

선인장은 안아달라 말하지 않았는데
자신을 껴안아 상처 입은
아이가 미웠고 고마웠으며
아무것도 할 수 없는
자신의 모습에 진절머리가 났다.

그러나 아무것도 할 수 없다는 사실은
변함이 없다

겨울과 봄 사이에는 어떤 냄새가 날까

겨울 냄새가 난다는 내 말에
너는 도통 무슨 말인지
모르겠다는 표정을 지었다
웃으며 차가워진 공기가 내게는 겨울 냄새처럼
느껴진다 얘기해주었더니 신기하다 하더라

말없이 손을 잡고 걸었다

그 이후로 가끔 너는 내게
지금도 겨울 냄새가 나는지 물어보고는
크게 숨을 들이마시곤 했다

유독 긴 겨울이라 주위에서 말하지만
나에게는 짧게만 느껴진 겨울이 지나고
더 이상 겨울 냄새가 희미해질 때쯤,

너는 나에게 봄 내음은 좀 나는 거 같은지 물었다
봄 내음은 잘 못 느낀다고 말했다
그러자 방긋 웃으며 자기는 봄 냄새는
확실히 맡을 수 있다고 자랑처럼 얘기했다

아직 봄 냄새는 당신만큼 맡을 수는 없었지만,
봄 내음을 맡을 수 있다 자랑하는
당신 눈 속에 찬란하게 노랗던 봄의 계절은
그 누구보다 내가 가장 먼저 맡았다

윤슬

바닷물에 산산이 조각난 햇빛이
요란스럽게 나를 잠에서 깨웠다

애초에 잠이 많고 잠귀가 밝아 잘 깨는 나이기에
평소 같으면 암막을 치고 잠을 청했겠지만

여행 마지막 날 아침햇살 부서지는 바다를 꼭
보고 싶어 커튼을 치지 않은 채로 잠을 청했고

이에 부응하듯 눈을 제대로 뜨고 바라보기 힘든
바닷물에 씻겨 한층 더 밝아진 빛이
눈을 떠보라고 귓가에 속삭였다

당신을 내 품 가득 끌어안고
바라본 그 날의 제주 바다는
내 기억 속 가장 밝은 바다다

바다에 부서지는 빛처럼 당신도 사라질까
조금은 조심스럽게 당신을 끌어안았다

부서진 빛의 모든 순간이 당신이었고
당신은 그 조각들보다 눈부시게 아름다웠고
우리의 순간은 찬란하게 아름다웠다

당신은 빛을 닮았다
빛은 당신을 닮았다

바다에 흩뿌려진 가장 아름답고 찬란한 빛이었다

나의 애정하는 것들에게

새벽녘 차가운 냄새

여름철 에어컨 아래 두툼한 솜이불
겨울밤 포장마차 우동 국물
가을 아침 살가운 바람의 간지럽힘
봄 저녁 따뜻한 색의 하늘

비 오는 날 우산에 아는척하는 비의 인사말
눈 오는 날 아무도 다녀가지 않은 하얀 카펫

깊은 잠이 들면 움찔거리는 당신의 잠버릇
계획을 신기하게 발음하는 당신의 말버릇
장미 향을 좋아해서인지
꽃향기가 나는 당신의 향기

보고 싶습니다

보고 싶다는 말을 좋아한다

사랑한다 좋아한다 처럼
직접적인 말을 꺼낼 용기가 없을 때
조심스레 에둘러 표현해보는 감정이
가끔은 더 순박하고 소중하다

말 그대로 당신이 눈앞에 있었으면 좋겠다는 말
당신과 함께였으면 하고 꺼내 보는 말
당신과 이 순간의 향기를 나누고 싶다는 말

나는 당신을 보고 있음에도 보고 싶다

흐르는 시간 속 당신의 모습이
너무 소중하고도 아까워서
서둘러 두 눈에 넘치게 가득 담으려 한다.

이 순간처럼 영원히
당신의 두 눈 속에 남아있다면
더 이상 보고 싶지 않아 해도 되는 걸까

사실 그래도 보고 싶을 것 같은 내 사랑

만취

술이 나를 집어삼켜 주는걸
꽤 마음 편히 기다리는 편이에요

술 한잔 두잔 마음에 소복이 쌓여서
마음이 투명해지면 얼굴은 붉어집니다

뜨끈하게 느껴지는 얼굴의 열기와
한껏 상기된 얼굴을 화장실 거울을 통해 마주치면
그 모습이 웃겨서 실없이 웃고
그 순간 짧은 웃음을 통해
비로소 그 순간에 내가 있어요

술 따라 흘러 흘러가다 보면
과거에 앉아있는 나를 데려오고
미래에 희한한 모습으로 매달려있는 나를
무사히 데려와요

소주잔 속에 그들을 무사히 데려오면
얼굴이 흐릿해지면서 숨소리는 뚜렷해져요

그렇게 집으로 돌아와서는

과거에서 잠들지
미래에서 잠들지

흐릿하지만 뚜렷하게 잠이 들어요

동경

사랑을 동경해
섣불리 사랑이란 이름을 지어줬고

아픔을 동경해
작별이란 감정에 이별이란 이름을 붙여
서로 다른 모습인 듯 아파했다

그리움을 동경해
애써 한 사람을 골라내 아련함을 담은 첫사랑이라
이름 지어주고는 밤마다 그리워했다

당신은 나에게 어떤 이름을 지어줬을까

눈물을 안아준다는 건

누군가의 눈물이 터졌을 때 안아줄 수 있다는 건,

여름에 가까스로 핀 여린 꽃 한 송이가
갑자기 내린 소나기에 휩쓸려 꺾이지 않도록
강하게 잡아주는 것
위태로운 꽃줄기가 이내 피어난 땅으로
다시 넘어지지 않도록
단단한 새로운 줄기로써 안아준다는 것

누군가의 눈물이 안쓰러우면 안쓰러울수록
서러우면 더 서러워질수록
더욱더 힘줘서 꽉 안아준다는 건,
너무 위태로워 보이는 당신에게
지금 당장 해줄 수 있는 건
옆에서 굳게 잡아주는 것밖에 없다는 것

당신의 서러움 너머 나의 무기력함에
당신을 안아주는 내 손가락이 저려 떨리는
모습을 숨길 수 있게 온 힘을 다해 안아준다는 것

신발의 의미

바다를 보고 달려간 어린아이의 신발은
한 짝은 모래성 근처에
또 하나는 저 멀리서 뒹굴고 있다

퇴근을 마치고 집에 돌아와
반겨주는 강아지를 만져주는 주인의 신발은
어린아이의 신발보다는 가깝지만
정돈되지는 않은 채 자리한다

그날, 저 높은 곳에서 떨어져
스스로 생을 마감했다는 남자의 신발은
높은 곳 난간 앞에 그 어떤 신발들보다
가지런히 짝 맞춰 놓여 있었다

주섬주섬 신발을 벗어 정리하며
그는 어떤 생각이었을까

거추장스러운 불안

걷잡을 수 없이 떨리는 불안이 너무 요란스러워
꽉 잡아보니 몇 번이고 바닥에 떨어져
금이 갈 대로 간 유리잔처럼 손안에서 으스러져
손바닥 안 구석구석 자리 잡아
조용해지기는커녕 이제 내 손을 덜덜 떨리게 한다

계속해서 손을 덜덜 떨고 있자니
어느 정도 적응이 되었다 싶은데
주위 사람들이 뭐라 수군거릴까 무서워
생각을 하다 생각을 하다
날카로운 생각에 손목이 잘려 나갔다

억지로 떨어져 나간 손목을
제자리에 붙여보려 했는데
온선히 두 손을 가지고 살아가는 게
어떤 느낌인지 기억이 나질 않는다
처음부터 한 손으로 살아온 것 마냥

아직 덜덜거리는 손목이 거추장스러워
그냥 다시 바닥에 툭 내던진다

초록불

초록 신호등이 깜빡거리기 시작하면

지금 당장 바쁜 사람
오늘이 바쁜 사람
어제 바빴던 사람
내일 바쁠 사람도

저마다 집에 켜고 나온 가스 불이 생각난 마냥,
몇 년간 못 봐온 친구와 잡아놨던 약속이 생각난 마냥,

급하게 뛰기 시작한다

그날의 너는 얼마나 밝게 깜빡거렸길래
나는 몇 년이 지난 이제서야 바쁜데
그날 그리도 너에게 급하게 빠져들었을까

먼 훗날 길거리에서 어렴풋이 서로 알아채더라도
그때만큼은 깜빡거리지 말아줬으면 한다

밝게 빛나는 사람아

가을이네요

재킷 하나 걸치기 좋은 정도의 바람이
살갗을 훑고 지나가는 가을의 공기에는
고추잠자리만큼 많은 마음이 떠다닌다

날씨가 참 좋다고 인사할 수 있는 반가움
퇴근하고 캔맥주 하나씩 나눠 들고
잠깐 걷자고 얘기할 수 있는 설렘

아직 소화도 제대로 시키지 못했는데
꿀꺽 삼켜버린 지나간 반년에 대한 답답함과

향하고 싶은 방향도 없고
멀리서 반겨주는 이 하나 없어
고목처럼 제자리에 뿌리 박힌
내 두 다리를 차갑게 자르고 지나가는
시간의 야속함에 대하여

가을 공기를 조금씩 들이마시다,
내 몸에 치덕치덕 바르다 보니,

지나간 계절 탓을 하고 싶어
가을을 잊고 겨울을 기다린다

필연과 우연 그 사이

대부분의 사람과 사람 사이의 관계는
필연을 가장한 우연이다

꼭 만났어야만 하는 이유는 없지만,
어쩌다 만나보니 만났어야만 하는
그럴싸한 이유들이

관계의 진행 과정에서
하나둘씩 고개를 들고 자리를 잡는다

지나가고 나서야 그 관계가 성립될 수밖에 없었던 이
유들을 머릿속으로 읊어보곤 한다

마치 봄이었기에 벚꽃이 폈다는 듯이
어쩔 수 없었던 상황들이라고 말이다

우연을 가장한 필연이었다면,
조금 더 로맨틱했을 텐데

발자국

먼발치 지나간 당신의 발자국에
이름을 붙이며 따라갑니다

어떤 발자국은 작았다가 컸다가
그리움이었다가 설렘이었다
때로는 강아지 발자국이 되기도 합니다

문득 당신의 발자국이 맞을까 싶다가도
당신이 묻히고 간 좋은 냄새에 안심하며
발자국에 신발 밑창을 끼워서 맞춰봅니다

애써 맞추다 보니 발자국이 끊겼습니다

당신 찾으러 빙빙 돌다 보니
당신이 등을 맞대고 있습니다
내 냄새 따라 뒤로 걸어왔다 합니다

서로 등 기댄 채 어딨느냐고
보고 싶다고 사랑한다고 외쳤습니다
이제야 비로소 발자국이 나란히 4개 남습니다

낙화

빨갛게 잘 익은 아름다움을 감당하지 못해
추락해버린 낙엽은 핏기 잃은 채 바닥에 부서진다

차가워지는 공기 속에서
바들바들 낙엽을 들어주던 가지는
끝까지 잡아주지 못한 가느다란 제 손을 원망하며

어제도
오늘도
내일도

그 자리에 서 있다

얼마 전 다른 자리에 서 있던 나무들도
분홍빛 잎들을 손에 묻은 흙 털어내듯
우수수 털어내고
그 자리에 가만히 서 있던데

실은 생각이 많아
자기 신발만 보고 걷는 사람에게도
들고 있던 잎들의 아름다움을 자랑하고 싶어

떨어뜨렸을까

시간 지나 피게 될 하얀 눈꽃들은
그 가느다란 손가락으로
얼마나 들어줄 수 있으려나

사랑이라는 단어보다는 네가 좋았다

따가운 햇살보다는
은은한 달빛이 좋았다
구름 한 점 없는 따사로운 날보다
축축하고 어두운 날이 좋았다

밝을 때는 불빛의 소중함을 쉽게 망각하기 때문에

눈을 감아버렸다

주위가 은은히 밝아지기 시작했을 때
내 옆에는 어느새 네가 웃어주더라

사랑이라는 단어보다는 네가 좋았다

오지 않았습니다

당신과의 이야기에는 결말이 없을 줄 알았습니다

영원한 것은 없다고,
세상에 결말 없는 책은 없다고 말하며
항상 매 순간 끝을 걱정하며

어느 날 집을 나서면서 보는 우중충한 하늘에

혹시라도
비가 오지는 않을까
우산을 챙겨야 할까
일어나지도 않은 일을 걱정했습니다

정작 비는 오지도 않았는데 귀찮게 한 손에는
필요 없는 우산을 꼭 쥐고서,
마치 비가 와줬으면 하고 바라는 것처럼 말입니다

막상 비는 오지 않았습니다

당신과의 이야기에도 결말은 없을 줄 알았습니다

이동건

–

다정한 시선

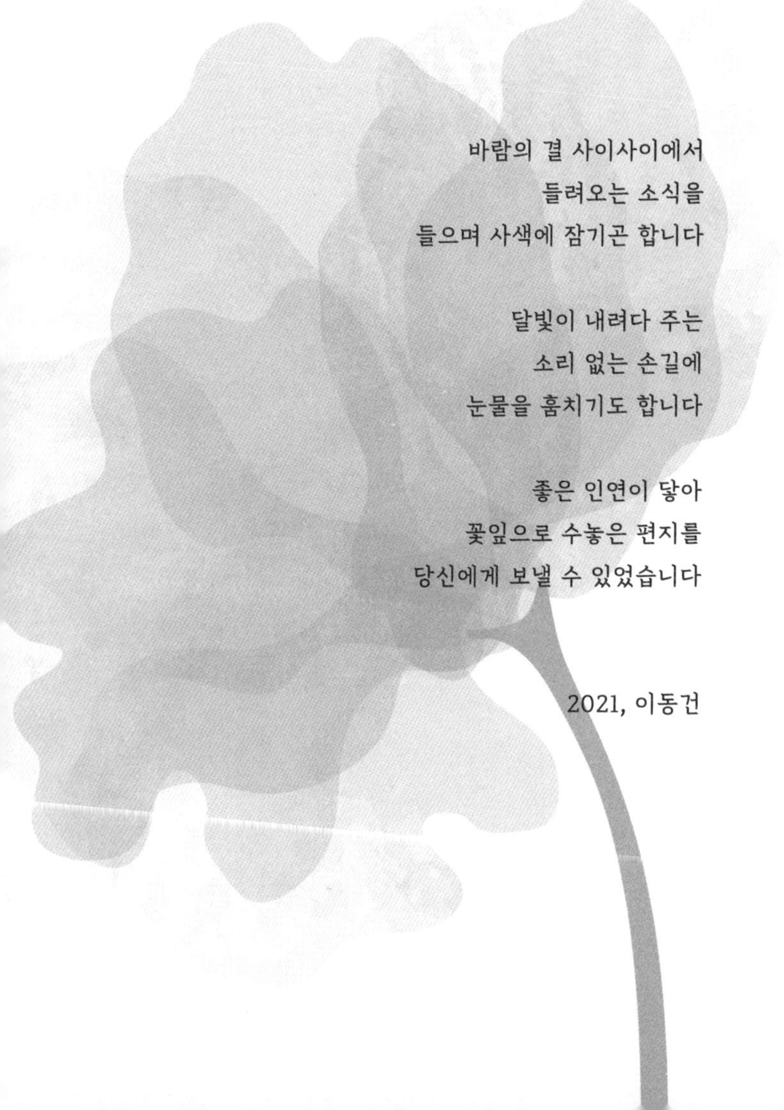

바람의 결 사이사이에서
들려오는 소식을
들으며 사색에 잠기곤 합니다

달빛이 내려다 주는
소리 없는 손길에
눈물을 훔치기도 합니다

좋은 인연이 닿아
꽃잎으로 수놓은 편지를
당신에게 보낼 수 있었습니다

2021, 이동건

희망

아무것도 하고 있지 않은 것이 아니었다

다 자기만의 속도로 꽃을 피울 날을
모든 세상을 밝게 비출 날을
기다리고 있었던 거야

이네들은 매 순간 홀로
걸어오고 있던 거야

누가 뭐라 한들 이네들은
꼭 꽃을 피울 것이고 세상을
밝게 비출 거라고
희망을 잃지 않았던 거야.

꽃씨

그대가 걸어갈 길에
꽃씨 하나 심어두었다

시간이 흘러
피어나
나를 생각해준다면

그래,
그걸로 되었다.

망부석(望夫石)

밀려오는 바람에라도
내게 다가올 수는
없었던 것이냐

흐르는 강물을 타고
내게 올 수는 없었던 것이냐

어떻게든
내게 다가올 수는 없었던 것이냐

내 작은 바람이 있다면
네가 나에게 다가와 주기를 바랐던 것이다

어디선가 들려오는
참새 소리에
네가 오는 소리인가 하고
뒤를 돌아다 보았고

어둠 속에서
빛나는
별들의 반짝임에
네가 오는 줄 알고
하늘을 올려다보았다

내 기다림의 대상은
온통 너였다는 것이다.

밤하늘 사내아이

당신이
보고 싶은 밤이면

밤하늘 무수히 많은 별
속에서 가장 예쁜 별
하나를 골라

그 별 하나에
당신을 새겨넣습니다

뒤돌아섰다가 다시
바라보면 어디에 새겼는지
알지 못합니다

그래도 괜찮습니다

저 수많은 별 중에
하나라는 것만으로도

밤하늘을
쳐다볼 이유는
충분하기 때문입니다.

인연

당신을 만나지 못했더라면
하고 생각합니다
아니, 만나지 못했던 것은
상상하지 말기로 합시다
그런 건 우리에게 없는 일이니까
만나지 못한 것은
우리의 인연에 없던 계획입니다
필히 길을 걷다
서로의 얼굴을 보고
봉숭아꽃 마냥 발그레해져
운명처럼 서로에게 빠져들 것입니다
그러니 우리, 만나지 못했던 것은
상상하지 말기로 합시다.

시든 어미의 마음

말하지 않아도 내 다 안다
실은 다 알지 못함에도
말은 내뱉고 본다
내 맘이 네 맘이기를 바라며
말하지 않아도 내 다 안다
오늘도 내뱉고 본다
다 알지 못하는 것임에도
시든 어미의 마음은
하루는 포근한 이불이 되어
내일은 달빛이 되어
매 순간에 그대의 곁을 지킨다
시든 어미의 마음이
계속해서 그대에게 물을 주는
이유는 이제 그대가
피어날 차례이기 때문이다.

그리워할 수 있도록

잠시 머물다 가세요
내 마음속에

당신의 향기를
당신의 눈빛을
당신의 마음을
조금 내려두고 가세요

당신이 떠나도
내려두고 간 것이 있다는 건
충분히 그리워할 수 있다는 것

떨어져 있어도
그리워할 수 있다는 건
내 곁에 있을 수 있다는 것

잠시 머물다 가세요
그리워할 수 있도록.

태초

송사리 헤엄쳐 다니는 계곡물 속에서
건져 올린 어여쁜 돌 하나
한 아이가 웃으며 주머니 속에 담습니다

그렇게 집을 향해 걸어가다가
문득 생각나 주머니 속에서 꺼내 본 돌

물기가 말라 못생겨진 돌 하나만이
아이의 손 위에 올려져 있었습니다

아이는 잠시 곰곰이 생각하다가
걸음을 돌려 계곡으로 돌아갑니다

그러고는 손 위에 있는 돌 하나를
계곡물 안에 살포시
다시 예뻐진 돌을 보고
생긋 웃는 아이의 미소

그 뒤로 계곡가에는
날마다 한 아이의 발자국만이
남아있을 뿐입니다.

한 어미의 사랑

한 아이는 어렸을 적에
새벽녘 이불을 내어주는
따스한 손길을 기억합니다

한 아이는 어렸을 적에
자신의 먹을 몫조차 나누어주는
다정한 손길을 기억합니다

한 아이는 어렸을 적에
부족함 없이 예쁨 받았고
유복하게 자라왔습니다

그 사랑은
한 어미의 사랑입니다

어머니, 이제는 당신이
베푼 사랑을 되받으실 차례입니다.

입동

티비를 틀어 뉴스를 보니
오늘이 입동이란다

무얼 했다고
벌써 입동(立冬)이라며 혼잣말을 한다

오는 사람 막고 가는 사람 막아도
세월(歲月)은 못 막는구나

속수무책 없이 시간이 흘러가는 게
가끔은 서러울 때가 있다

그래도 여태껏 잘 살아왔지 않느냐며
오늘도 리모컨을 들어 전원을 끈다

가슴 깊은 곳에 알듯 말듯 한
무언가가 울컥한다.

사계(四季)

우리의 인연에 가을이 드리우더라도
같이 걸었던 봄과 여름이
사라지는 것은 아닙니다

가을이 얼굴을 내미는 것은
당연한 순례입니다

또한, 거스를 수 없는 운명입니다

짧았던 봄의 달콤함,
스쳐 지나간 여름처럼

짧지만 풋풋했고
스쳐 지나갔지만 꽤나 뜨거웠습니다

드리운 가을을 받아들입시다
다가올 겨울을 맞이해봅시다.

거울

완벽하지 않은 나

그냥 그대로 두기로 했다
그저 사랑해 주기로 했다

너무 애쓰지 않고
나를 마주 보고 사랑하는 일

또한 가장 어려운 일이기도 한 일.

품

넓고 잔잔한 호수 되어
비와 눈의 형태로 내리는 당신을
온전히 받아들이는 일

애쓰지 않고,

바라지 않으니,

비로소 호수가 되어
당신을 온전히 품을 수 있었습니다.

안부 묻는 마음

밥은 먹었냐고
물어보는 일은
당신의 하루를 궁금해하는 일

잠은 잘 잤냐며
물어보는 일은
당신의 예쁜 밤을 궁금해하는 일

당신을 향한 모든 물음은
물어보는 이의
마음이 한 아름 묻어있는 일입니다

말하지 않아도 아는 것들이 있습니다
말하지 않으면 모르는 것도 있습니다

표현하지 않으면 시드는 새싹은
우리네들의 마음속에
하나씩은 가지고 있는 모양입니다.

창문

마음껏 내리거라
나는 막지 않겠다

창틀의 화분을 적시겠다면
마음껏 적시거라

다만 해가 지면 돌아가거라

퇴근하고 돌아온 사내의
마음이 너무 아프지 않겠는가

그러니 적당히 적시고
돌아가거라

그리하여도 내키지 않는다면
다음날에 또 오거라

미련한 사내라면
창문은 열려있을 게다.

나는 새싹, 당신은 태양

날이 좋으면 피어나는
내 마음의 새싹

여린 내 마음
따스히 내리쬐는 햇볕 쬐려
자그마한 잎사귀 두 잎
세상 향해 뻗습니다

아, 따뜻해
당신의 온도에 양분을 얻은
난 무럭무럭 자라납니다

감사합니다, 오늘도
날 비춰주셔서

덕분에 내일도 세상을 향해
두 잎 뻗을 수 있겠습니다.

나의 별아

별아,
네가 홀연히 아름다운 이유는
밤마다 바라봐 주는 사람들이 있기 때문이란다

별아,
네가 찬란하게 빛나는 이유는
누군가의 쓸쓸한 밤을 비춰주기 위해서란다

별아,
나의 별아,
고맙다고 말해주고 싶다
나도 가끔은 네게 위로를 받을 때가 있단다

세상이 어두워도 그리 빛나거라
혼자서 반짝반짝 빛나거라

그리하여 어둠 속에 갇혀있는 이들의
한 줄기 희망이 되어주거라

작지만 결코 보잘것없지 않다
별거 아닌 빛이지만 누군가에겐 희망이란다

모르고

제 몸 정상이 아닌 것도 모르고

가족들 저녁은 먹었는지 모르고

주변 아름다운 것들 모르고

친구들 뭐 하고 사는지 모르고

자신이 무얼 위해 이리 달려가는지 모르고

애, 너 그러다 쓰러져.

그대를 맞이합니다

봄비처럼 자연의 잎사귀들을
적시는 비가 되어 새초롬히 내리신다면

나는 웅덩이가 되어
그대를 맞이하겠습니다

한여름 태풍과 함께
모든 걸 휩쓸 만큼 성난 모습으로 내리신다면

나는 호수가 되어
그대를 맞이하겠습니다

살거죽을 에는 차가운 바람과 함께
어스름히 내리는 눈으로 내리신다면

나는 바다가 되어
그대를 맞이하겠습니다.

인생

산다는 건 무엇인지

물 흐르듯이 살아가다가
한 사람을 만나

살아가면 되는 거 아니겠나
사랑하면 되는 거 아니겠나

산다는 건 무엇인지

알다가도 모르겠지만
한 사람을 만나

알게 되는 거 아니겠나
알아 가는 거 아니겠나

산다는 건 그렇기에
때때로 아름답지 않겠나.

편지

편지를 쓰며
봄을 담았고
꽃잎을 그려
당신에게 보냈습니다

내 향기가
내 꽃잎이
당신에게 닿기를.

해바라기와 달맞이꽃

우리는 세상이 빛으로
물들기 시작하면
만나자는 약속을 했습니다

우리는 날마다 서로를
보기 위해 꽃을
피웠음에도 보지 못했습니다

아, 미처 알지 못했습니다

나는 해바라기였고
당신은 달맞이꽃이었다는 것을.

가을바람

늦을까 봐 서둘러
왔던
가을바람은

준비되지 않은 아낙네들의
마음을 스스럼없이
무너뜨립니다

조금은
늦어도

좋으려만.

못난 꽃

길가를 걷다 못난
꽃 한 송이를 봤습니다

아직 덜 피었는지
꽃잎은 시들시들
줄기는 맥을 못 가누던지요

그렇게 하루 이틀, 일주일
길을 걷다가 계속
지켜보았습니다

시간이 지나도
여전히 못났답니다

저녁에 장을 보러 가는 길에
문득 그 꽃이 생각나
모퉁이를 돌아서
그 꽃을 바라보았습니다

웬걸 낮에는 보지 못했던 꽃
하나가 한 줄기의 달빛을 받고

예쁘게 피어있지 뭔가요
곧바로 다가가서는 꽃에게
고개 숙여 사과했습니다

너는 달빛을 받고 피는
꽃이었구나 하고

빛은 햇빛만 있는 것이 아니라
달빛도 있었구나 하고 말입니다.

별은 별을 품고

이 별에 잠시 머물다
당신을 만나게 된 건
내겐 살아갈 이유입니다

그대 이름 석 자
부르기만 해도
눈물 한 방울조차
의미 없이 흐를 수는 없어
별똥별이 되어 떨어집니다

이 별에서 당신을 만난 건
고달픈 세상살이
조금이나마 밝아졌음이고

이 별에서 당신을 만난 건
사랑을 줄 수 있는 존재가
된다는 것이
행복하다는 것을 알려주었습니다

이 별에서 당신은
또 하나의 작은 별입니다.

당신은 나의 웃음꽃

비가 오면
어떠한지요

활짝 피어나라고
그런 거 아니겠나요

먹구름이 잠시 하늘을 덮어도
어떠한지요
따스한 햇살이 곧 뜰 테니까요

잊었는지요
당신은 본디 꽃이었다는 걸.

첫눈

첫눈이 내릴 때 설렌다는 건
실은 네 생각이 나서
그러는 게 아닐까

표면적으론 다시 찾아온
눈을 바라보며 기뻐하고 있지만
그 순간에도 생각났던 건 너였던 게지

첫눈이 내린다며
발 동동 구르는 설렘도

밖에 하이얀 솜사탕이 쌓였다며
그대에게 말을 건네는 마음도.

꿈

우린 잠시 꿈에서 만났다고 합시다

잠깐 늦은 오후 책상에
엎드려 낮잠을 자다
꾸었던 꿈속에서 만났다고 합시다

우리는 꿈에서
종종 손을 잡고 걷기도 했고

서로의 눈만 봐도
웃음 지었던 것뿐입니다

모두 다 꿈에서 만난 것입니다

비록 지금은
꿈에서 깨어났지만

꿈이기에 조금은
덜 아파해도 되는 일입니다.

사랑이라면

사랑이라면
말없이 민들레꽃 꺾어다
당신에게 줄 것이고

또 사랑이라면
자주 밥은 먹었는지
안부를 묻겠습니다

사랑한다는 말은
아직은 말하지 못했습니다

쉬이 말하지 못한 까닭은
내게 당신은 과분한
사람이기에 그렇습니다

민들레꽃은 내가 가장
좋아하는 꽃입니다

밥은 먹었는지 묻는 이유는
나만의 애정표현입니다

당신이 사랑이라면
남들과는 표현이 다를 수도 있지만
변함없이 곁에 있겠습니다

그리하여도
아깝지가 않습니다

꽃에게 꽃을 준 것이고
별에게 별을 준 것입니다

그대는 한 송이의 꽃
나의 전부.

그대 풀꽃일지라도

그대, 풀꽃일지라도
길을 걷다 마주칠 때면 살랑살랑
작은 잎 하나 흔들어주소서

내겐 사랑이옵니다

작고 사소한 존재가
내 마음속에 들어오니
꽤나 큰 자리를 차지합니다

세상살이 다 살지는 않았지만
별거 아닌 존재들이 희망이
될 수 있다는 것을
조금은 알게 되었습니다

그렇게
그대, 풀꽃일지라도
영원토록 내 곁에서 피어나소서.

낙화(落花)

꽃잎이 떨어지는 순간은
찰나이지만
분명한 건 한때 피었던 존재인 것입니다

우리 또한
그랬을까요

비록 떨어져 버린 꽃잎이지만
누구보다도 예뻤고
단 하나의 모양으로 아름다웠습니다

비록 떨어져 버린
꽃잎이지만
아름답게 피었던 시간과
달콤한 향기를 냈던
때를 기억하며

오늘도 우리의 꽃잎은 떨어집니다.

우린 잠시 사랑했습니다

나를 봅니다
당신을 봅니다

당신의 세상을 봅니다
우리의 세상을 봅니다

늦었지만 고개를 돌려
걸어온 길을 돌이켜 봅니다

이제는 알 것 같습니다

우린 잠시,
사랑했다는 것을.

문득 그리워지는 사람

문득 그리워지는 사람이 있다

웃는 모습은 개화(開花)임에 틀림없었고
말소리는 조성(鳥聲)과도 같았다

어찌도 꽃과 같고 새와 같으니
꽃이 돼버리더니
차츰 시들기 시작하는 게 아닌가

곧이어 새가 돼버리더니
옛 버릇 못 버리고
공활한 하늘 위로 날아가 버렸다

문득 그리워지는 사람이 있다

그 참뜻은 아직
내 안에 있다는 뜻이다.

벚꽃나무

벚꽃잎이 아름다운 이유는
떠나야 할 때를 알기 때문이다

자기의 운명을 알고
불어오는 바람에 몸을 맡기는 것
얼마나 아름다운 일이냐!

미련 없이 떠날 줄 아는 자는
미련 없이 베풀 줄 아는 사람이다
얼마나 존경스러운 사람인가!

욕심내지 않고 소소하게 삶을
살아간다는 게 쉽지 않다는 걸 아는가

떨어진 벚꽃잎도 함부로 밟지 말거라
아름답고도 존경해야 할 존재임에 틀림없구나

그네들도 한 그루의 벚나무처럼
겨울을 꿋꿋이 견디고 세상 사람들에게
벚꽃잎을 떨어뜨려 꽃길을 깔아주거라

지금 자신의 인생이 꽃피지 않았다고
불평하지 말거라

곧 피어날 것에 틀림없다
그대는 한 그루의 벚나무이지 않은가

단지 지금은
겨울을 지나고 있을 뿐이다.

단풍

나뭇잎들이 하나둘씩
다홍치마를 입고
입추(立秋) 완연한 가을이 왔습니다

완연함 속에서 우리도
서로에게 물들어가는 건 어떻겠나요
나뭇잎들만 물들어가라는 법이 있나요

우리도 서로에게 물들어
서로의 색이 아닌 우리의 색을
만들어 나가면 되는 거 아니겠나요

당신의 치마는 연분홍빛으로 물들이고
나의 셔츠는 연노랑으로 물들여봅시다
알록달록 잘 어울릴 것 같지 않나요

색이 어울리지 않는 것
같아도 괜찮습니다

중요한 건 마음이
물들어가는 것일 테니까요.

외롭고 쓸쓸한 밤

유난히 외로운 밤이 있다

그런 날에는 조용히
창가에서 달을 바라보며
생각에 잠기곤 한다

유난히 쓸쓸한 밤이 있다

그런 날에는 조용히
나를 위로해주는 것들을
가슴 속에 들여놓는다

달빛이 내어준 이불
별들이 꾸며준 천장
풀벌레들이 잘 자라며
들려주는 자장가

외롭고 쓸쓸한 밤은
가끔 찾아와 아무도 없는 것처럼
살포시 나를 위로해주곤 했다.

고은서

–

당신을 위한 사랑과 위로

당신이 오늘도 살아가는 일상에서
지나치는 모든 것들에도 사랑이 묻어있죠.

아침을 함께한 가족, 연인, 친구, 나 자신....
사랑 없이 살아갈 수 없는 것들이죠.

때때론 이 추상적인 단어 한 마디에
울고 화내고 가슴 미어지도록 아파하며

우리는 하루 또 성숙한 사랑을 하기 위해
성장통을 겪습니다.

얄팍하게 묻은 사랑 속에서도
당신이 언제나 행복하기를 바라며

저는 당신을 위한
사랑과 위로를 써 내려가겠습니다.

별

별은 항상 그 자리에 있어
내가 너의 곁에 있듯이

힘이 들면 하늘을 올려다봐 줄래?
내가 너의 하늘을 지키고 있을게

구름 하나 너의 맑은 날을 막을 수 없도록
수많은 별로 너의 하늘을 채울게

설혹 네가 태양이 되어 빛나
평생 나를 볼 수 없을지라도

네가 더욱 빛날 수 있도록
나는 네가 없는 밤하늘도 늘 지킬게

커피

원두를 갈고 가지런히 정리해
무게를 실어 누른다

뜨거운 물을 만나
축축하고 굳어진 커피 찌꺼기는
찌꺼기 통에 버려져
오랜 시간을 거쳐 차갑게 식어간다

무르익어 뜨겁게 달았던 나의 마음도
축축하고 굳어진 채 버려져
오랜 시간 동안 서서히 식어간다

아무도 알 수 없는 아주 오래도록 긴 시간이다

흔적

너의 흔적을 따라 걸었다
목적지 없이 하염없이 걷기만 했다

흔적을 따라 걷다 보면
어딘가에서 네가 환하게 웃고 있을 것 같아서

손을 잡고 걸었던 공원을 지나 강가로 걸었다
강바람이 머리칼을 쓸고
나는 돌부리에 걸려 넘어졌다

너의 흔적이 바람을 따라 날아가고 있었다
눈물이 흘렀다

네가 잊힐까 무서운 게 아니다
까진 무릎이 따가웠기 때문이다

더듬던 너의 흔적이 사라지는 게 무서운 게 아니다
다리를 타고 흐르는 피가 무서웠던 것이다

내가 너를 잊을 리 없다

평생 잊지 않기로 약속한 너를
내가 사랑한 너를 잊을 리가 없다

사랑

너를 만나는 날, 파란 하늘 속 구름은 몽실몽실
바람은 선선하게 나를 간지럽힌다

너를 만나러 가는 길, 내 발걸음은
날아갈 듯 가볍게 춤을 춘다

너를 잡고 있는 내 손은
어느덧 사랑스러운 너를 쓰다듬고

너를 담는 내 입은
네게 진심을 속삭인다

나는 그렇게 우리가 되어
사랑하지 않을 수 없는 너를 사랑한다

추억 한 조각

사랑을 통해 세상을 배우고
내 세상을 차분히 그린다

너는 이따금씩 채색되는 내 세상 속 한 켠
수많은 추억 조각 중 하나

수많은 사랑으로 이루어진 이 세상이
어느 순간 증오가 되어
아름다웠던 색이 없어지지 않길…

유독 네가 더 보고 싶은 날이다
미련하게도 너와 함께한 날들을
아직도 그리워한다

여전히 너는 내 세상 속 한 켠
소중한 추억 조각이다

좋아한다

너를 보고 있으면 복잡한 생각이 사라져
온종일 기분이 좋다

널 만나는 날이 기다려지는
이 두근거림이 좋다

너와 함께 있을 때의
이 떨림이 좋다

너와 눈이 마주쳤을 때
네가 짓는 눈웃음이 좋다

나는 너의 모든 것,
아니, 나는 네가 좋다

나는 너를 좋아한다

재회

햇살 뜨거운 여름 낮,
대청마루에 다리 펴고 누워
간간히 부는 바람을 살갗으로 느낀다

귀를 타고 지나가는 바람 속
사랑스러웠던 네 목소리가 들려온다

코를 타고 지나가는 바람 속
풀 내음을 뚫고 나던 네 향기가 느껴진다

네 생각이 떠오른다

볼우물 가득하게
까르르 웃던 너의 모습

하늘 덮은 노을 바라보며
토끼풀밭에 앉아

부끄럼 때문인지 노을 때문인지
붉어져 있는 얼굴을
서로서로 그렇게 놀려댔지

너는 또바기 잘 자랐을지
네 생각이 불어오던 바람을 타고
아득히 멀어지던 그때,

딸랑

풍경이 울었다
바람이 지나간 자리엔 네가 서 있었다
내 사랑하던 너 있었다

너였다

어두운 동굴 속 한 줄기 빛이 너무나도 밝아
눈을 뜰 수 없었다
너의 미소였다

동네 골목을 거니는 듯한 가슴 아린 추억
너와의 시간이었다

한겨울 내린 눈처럼 반짝이던 그건
너의 눈물이었다

어제와 같이 날 기다려줄 줄 알았던 너는
나의 기다림이 되었다

다시 되돌아본 너는
나의 전부였다

낙엽

너와의 시간을
저 강물 위 떠내려가는
낙엽에 함께 띄워 보내려 한다

하나의 나무를 이루었던 사랑이
가을이라는 아픔의 계절을 만나
먼 곳으로 흩어지던 낙엽처럼

바람을 만나 새로운 여행을 시작할
강물 위 낙엽처럼

저 먼 곳으로,
다시는 만날 수 없는 곳으로
그렇게 멀리 보내려 한다

나에게서 너를 떠나보내려 한다
부디, 네가 행복하기를 바라며

달콤한 행복

아이스크림을 한 스푼 떠먹었다
작은 아이스크림 한 덩이가 혀를 타고 굴러다닌다

차가움과 달콤함은
온몸을 감쌌다

흐렸던 날씨가 너를 만나고 맑아졌다
맑은 너는 지금 내 옆에 있다

아이스크림을 한 스푼 떠먹었다
몽글몽글한 알갱이가 입안에서 터졌다

상큼한 오렌지 향기가
입안에 퍼졌다

과즙이 터지듯 상큼하게 웃는
네가 지금 내 손을 잡고 있다

나는
네가 있어 지금 행복함을 느낀다

웬디

모두 잠드는 밤
커튼 사이로 밝게 들어오는 달빛에 몸을 담갔다

밝은 달을 보고 있자니
하늘을 자유롭게 헤엄치던 네가 떠오른다

너와 손잡고 떠난 네버랜드가
너무나 꿈만 같아서

나의 이름을 불러주던 너의 목소리가
절대로 잊히지를 않아서

지금 너의 시간은 아직도 멈춰있을지
나의 시간은 흐르고 흘러
오늘도 하루가 이렇게 지나가 버렸는데

너는 아직 그때 그대로일지
조금 더 멋진 사람이 되었을지
너도 내 생각을 하고 있을지

네가 보고 싶은 밤
달빛이 비친 창문에
네 이름 손가락으로 그려본다

물망초

네가 떠날 때
다시 돌아온다 했다

다시 돌아와
나와 많은 이야기를 나누고 싶다 했다

저기 언덕에 피어있는 물망초 한 송이가
혹여 너 일까

내가 너를 잊지 않길 바라는 마음에
물망초로 돌아온 것은 아닐까

네가 어떤 모습으로 다시 되돌아오던
반드시 너를 기억하리라고
너를 알아보리라고 약속하겠다

나는 너를 절대 잊지 않겠다
긴 시간이 지나도 너를 기다리겠다

얼음

손에 쥐고 있던 컵엔
얼음이 가득 들어있었다

얼음은 점점 녹아
미지근한 컵을 차갑게 만들었고

컵을 쥐고 있던 나의 손에는
물이 흥건히 묻었다

사랑스러운 너라는 컵은
나라는 얼음을 가득 담아내고

나는 너에게
점점 녹아들어

우리를 흥건히
마음으로 적신다

우리

바닥에 펼쳐진 퍼즐 조각을 맞춘다
테두리부터 하나씩

그림이 이어지나 대보고
조각을 이리저리 돌려보며
마지막 조각까지 달칵 맞추면

비로소 그림이 완성된다
'너와 나'의 그림이 완성된다

언제나

언제나 날 봐줄 줄 알았던
언제나 내 손을 잡고 있을 줄 알았던
언제나 내 옆에 함께 할 줄 알았던

당신을 이제 보내야 한다는 게
내게 아픔이라는 새로운 이름으로
사랑이라던 옛 이름을 까맣게 덧칠해버리네요

당신이 부디 나를 기억해주기를
당신의 내일에, 나의 어제에
행복했던 우리가 남아있기를

온도

분홍빛 노을,
시원한 파도 소리

발가락 사이로 들어오는
따뜻한 모래를 느낀다

너는 들이친 파도에 놀랐는지
나의 손을 잡았다

차가운 손 위로
포개어지는 체온

내 눈은
너의 체온을 담았다

너는 저 멀리
바다를 바라보았고

너의 두 귀는
노을과도 같았고

두근거리는 손은
차가워지는 법을 몰랐다

어떤 날

문득 떠오르는 어떤 날,
그날의 미소와 선선하게 부는 바람이
너무나도 빛나던 어떤 날

손을 맞잡고 걷던 어떤 아이들은
시간이 지나 빛을 잃고 손을 놓았다

문득 떠오르는 어떤 날,
빛을 잃은 어떤 어른들은

그날의 빛이 사랑이었음을 깨닫고
다시 그 빛을 찾아 걸음을 옮겼다

기억의 조각

나의 가장 아름다운 시절을 함께 해준 너에게,
아름다운 기억의 조각이 되어준 너에게,
행복했고 고마웠다고 전하고 싶다

우리의 소중했던 시간이
너에게 아픔이 되지 않길

너에게 미운 기억으로 남지 않길,
너에게 새로이 나아갈 길이 될 수 있기를

훗날 너와 나를 되돌아봤을 때
후회하지 않는 시간이 될 수 있기를

사진

그날의 시간에 머물러 있는 너에게
조심스레 나의 이야기를 꺼내본다

너를 정말 좋아했다고

그 누구보다 너를,
오로지 너 하나만을 너무 사랑했다고

그 시간 속의 내가 되어
다시 한번 내 이야기를 전한다

너에게 닿을 때까지

구름의 벽

구름과 나 사이엔
보이지 않는 벽이 있나 봐

손닿을 듯 가까우면서도
절대 닿지 않는
저 파란 하늘 속 구름이

마치 새하얀 너 같아서
너와 나의 거리 같아서

오늘도 네 생각이 떠오르더라

포기

나의 마음은 그에게
단 한 줌도 전달되지 않는다

의미 없는 기다림의 시간
의미 있다 생각하며 보냈는데

내가 뭘 해도
그대를 만족시킬 수 없다는 걸 알기에

결국 내가 할 수 있는 것은
아무것도 없다는 걸 알기에

더욱이 힘든 시간이었다

오늘이 지나면 괜찮아지겠지
지금 잠시 힘들어 그런 거겠지

나보단 네가 훨씬 지치고 힘든 일이 있는 거겠지
나는 더 많이 포기한다

혹여 그것이 너의 진심이더라도
모른 척 포기한다

하루

하루를 너로 시작하고
하루를 너로 끝내고
매일이 너로 채워진다는 게
이리도 겁이 날 줄은 몰랐다

어느 순간 네가 나를 떠날까
가득했던 네가 한순간에 쏟아질까

위태로이 찰랑거리는 너라는 물이
네가 가득 담겨있는 내 유리컵이
한순간의 실수로 깨질까 봐

너에 대한 이 마음이 커질수록
무서움도 함께 커지더라

처음으로

창밖에서 나는 소리를 들었어
굵은 빗방울 소리

처음으로 네 생각이 났어
정말 처음으로

처음으로 같이 썼던 우산,
처음으로 같이 맞았던 빗방울,
처음으로 맞닿았던 온기

너와 함께 밟은 물웅덩이까지
처음으로 생각났어

정말 처음으로

봄

벚나무에 꽃이 피고
길가에 개나리가 피고,
철쭉에 진달래까지 피어나는 걸 보니
봄이 다가오고 있구나

따뜻한 햇살, 선선한 봄바람에
그간 얼었던 몸이 녹으면

차가웠던 마음에도 햇살이 들겠지,
꽃이 피겠지, 봄이 들겠지

우리 멋진 어른이 되어
벚꽃 피는 날 다시 만나자 한
그 약속 지키려
나 아직 이 벚나무 밑에서 너를 기다리니

혹 나를 잊지 않았다면
우리 그때 그날의 약속을 잊지 않았다면
아직 그 시간에 멈춰 있어도 좋으니
다시 내 눈앞에 나타나 주시오

이 자리에서

나 이 자리에 우두커니 서서
여전히 그대를 기다리고 있다

이 자리에 이대로 남아
그대를 잊지 않으려 한다

나 이 자리에서
그날의 우리를 잊지 않으려 한다

이 자리에서
우리를 다시 그리려 한다

이 자리에서

달빛

해가 뉘엿뉘엿 넘어가 그림자가 길어지는 시간
펜을 쥐고 있는 나의 손에도 볕이 든다.
나도 모르게 하늘을 바라보았다

태양의 반짝임에 눈이 부셔 눈을 감고
고개를 숙일 수밖에 없었다

네가 아무리 나를 밝은 빛으로 비춘다 하들
결국 나의 그림자는 길어지고
나는 네 앞에서 고개를 숙일 수밖에 없다

그러니 나는 너의 바로 밑에서 함께 빛날 것이다
초라한 그림자를 없애고 어둠을 비추는 달이 되어
밝은 달빛을 만들어낼 터이니,

그날이 올 때까지 너는
구름 한 점 없는 맑은 하늘이 되어있길 기도한다

겨울눈

눈이 왔으면 좋겠다
살포시 내리는 눈을 보고
새하얀 네 얼굴에
빛나는 미소가 내려앉으면 좋겠다

사랑니

첫사랑처럼 아파서 사랑니라 하더라

그렇다면 모든 이의 첫사랑은
이렇게나 아프고 눈물 났던 걸까
잊을 수 없는 고통의 시간이었던 걸까

글쎄
적어도 지금의 나에게 너는
잊을 수 없는 행복한 시간으로 남아 있는데

끈기

단 한 사람이라도 내 글을 좋아한다면
나는 절대 글을 포기하지 않을 거야

만약 그 한 사람이 너라면
나는 늘 최고의 글을 써낼 거야

그게 몇 번의 도전이 되었건 간에
꼭 써낼 거야

오직 너 하나,
너 하나만을 위해서

가을

노을이 질 때면 늘 네 생각이 나
선선한 가을바람 속에 공원 벤치에 앉아
서로 아무 말 없이 노을을 바라보다
다시 아무 말 없이 서로를 바라보며 웃곤 했지

조용했지만 너와 함께인 걸로도 충분했던
그 시간들이 이따금씩 그리워져서
오늘도 난 네 생각을 해

낙화

멀어져가는 그의 모습에도
모른 척 나는 오늘을 더 사랑한다

오지 않을 줄 알았던 끝이 결국 온다지만
그 끝이 오늘이라면

오늘이 마지막일지라도
나는 최선을 다해 그를 사랑하겠다

진정한 운명이라면
우리를 다시 그날로 되돌려주겠지

소리 없는 기도를 읊조리며
사랑한 너를 보내주겠다

인연과 연인

당신이 내 꿈의 주인공일까요?
흘러가는 이 시간이 나를 당신에게로 데려가 줄까요?

난 아직 당신이 누군지 알 수 없어요
이미 우린 수천 번 스쳐 지났을지도 모르죠

당신과 나는
얼마나 돌고 돌아 만나게 될까요?

당신과 나는
얼마나 사랑하여 평생을 약속하게 될까요?

돌고 돌아도 당신이라면
나의 마지막이 당신이라면

스친 인연을 다시 잡아
연인인 우리의 모습이
하루빨리 시작되었으면 좋겠어요

언젠가 시작될 우리의 평생이
어서 약속되었으면 좋겠어요

괜찮아

괜찮아졌다고 생각했다
이젠 아무렇지 않은 줄 알았다

무심히 들리는 그 이름에
모든 게 무너졌다

가슴이 두근거리고
온 신경이 그 이름에 쏠린다

나는 아직
괜찮지 않다

마지막 바람

마지막 바람이 있어

새로운 사람과 새로운 장소에 가
맛있는 음식도 먹고 대화도 나누면서
예전과 같이 해맑은 웃음을 지어줘

나 때문에 힘들어하지 말고
힘든 나날에 울지도 말고
하루하루 흘러가는 대로 잘 지내줘

그러다가 이따금씩
그리움에 미치도록 사무칠 때
그때 네 마음 한켠에 묻어둔 나를
한 번씩 꺼내 쓰다듬어 줘

나는 늘 같은 곳에서
같은 빛깔로
너를 바라보고 있을게
나를 잊고 지내되
나를 추억해줘

하마터면

침대에 이불을 덮은 채 누워있었다
오늘 나의 세상엔 천장만이 존재한다
천장에 달린 전등조차 켜지 않은 채
창밖에서 들어오는 햇살에만 의지한다
몸을 뒤척이다 옆으로 돌아누웠다
모든 세상이 옆으로 누워있다
잠시 몸을 일으켜
햇빛이 일렁이는 창밖을 내다보았다
모두가 똑바로 선 세상에서
모두가 같은 속도로 달리고 있다
남들과 다른 세상에 있는
내 모습이 창문에 비추었다
머리가 한껏 헝클어져 있었다
남들과 다른 속도로 달리는
내 자신에게 실망하고 있었다

아,
하마터면 나를 한심하게 생각할 뻔했다
하마터면 내가 나를 너무나도 미워할 뻔했다
하마터면 나를 사랑하는 법을 잊을 뻔했다
다시금 되새겼다
나는 평생이라는 마라톤 중
오늘이라는 물을 마시는 중이라고

나의 새벽

밤에 잠이 잘 안 오기 시작했다
밤새 뒤척이다 보니 허리도 뻐근해졌다

하도 한쪽 방향으로만 누워있어서일까?
의도치 않은 눈물이 왼쪽 눈에서 흘렀다

손바닥으로 눈물을 닦는다
자세를 고쳐 반대 방향으로 눕는다

방은 어두웠고
거실에서 아버지는 주무시니 조용함만이 방에 가득했다

생각이 많아졌다
생각이라기보다는 불안감이었다

어느 날부터인가
늘 불안함에 떤다

관계에 대한 불안함,
미래에 대한 불안함

모든 것에 눈치 보며
한심하기 짝이 없는 나 자신

서러워졌다
오른쪽 눈에서 눈물이 흘렀다

손바닥으로 닦지 않았다
베개를 적시도록 두었다

눈물이 계속 흘렀다
울었다

행여 아버지가 깨어 내 우는 모습 들킬까 봐
이불을 머리끝까지 덮고 소리 죽여 울었다

그저 그랬을 뿐이다
평소처럼 그런 새벽을 보냈을 뿐이다

노을

지는 태양만을 바라보던 나는
더 이상 아무것도 할 수 없을 줄 알았다

하지만 나는
바라보는 해의 빛을 흡수하는
피어나는 꽃이었다

어머니

당신은 자신을 지는 꽃이라 말하지만
당신은 결코 지는 꽃이 아닙니다

당신은 제게
새로운 봉오리를 피워내는 꽃입니다

푸른 새싹을 키워내는
어린 꽃을 감싸주고 햇빛을 나눠주는

이제 막 찬란한 열매를 맺는
다른 어린 꽃을 그립다는 듯 바라보는

그 누구보다 맑고 빛나는 눈을 가진 당신은

어느 꽃보다 크고 아름다운
꽃을 피워낼 꽃봉오리입니다

류연주

–

어머니께 들려주고 싶은 이야기

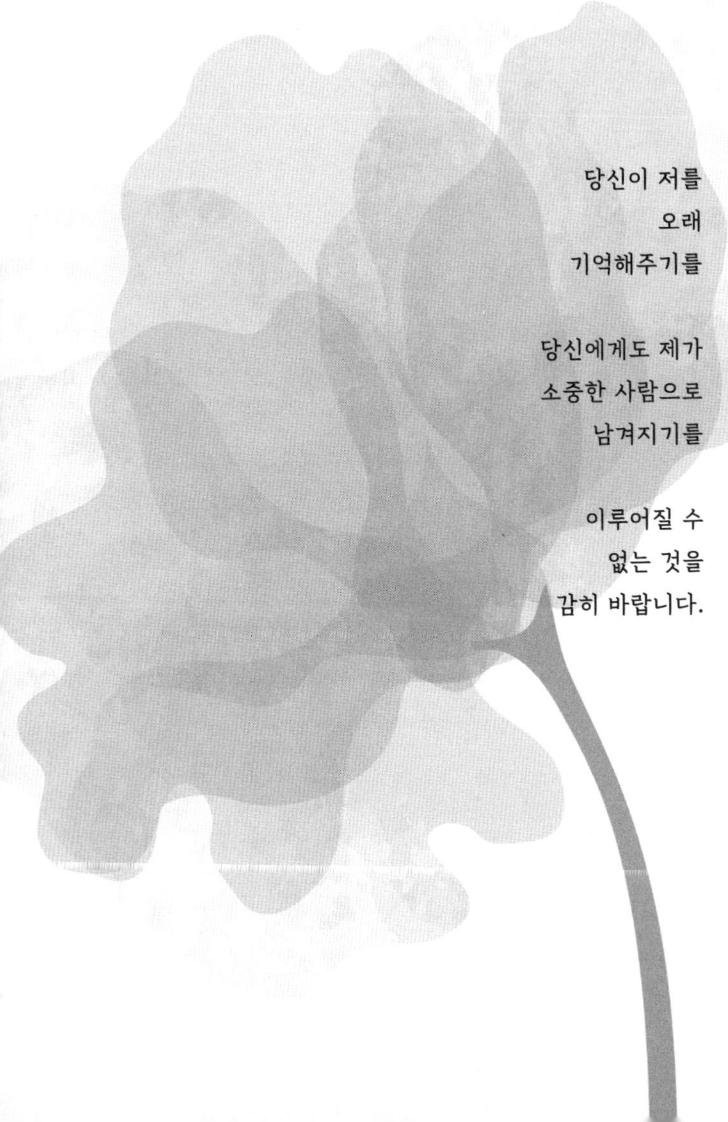

당신이 저를
오래
기억해주기를

당신에게도 제가
소중한 사람으로
남겨지기를

이루어질 수
없는 것을
감히 바랍니다.

만약

만약 하루라도
엄마를 다시 만난다면

하루가 아닌 반나절
아니 몇 분이라도
엄마를 다시 볼 수 있다면

엄마를 꼭 끌어안고
목청이 터지도록 울어야지

내가 괜찮지 않다는 걸
알렸으니까
비록 내가 볼 수 없어도
내 곁에 계시지 않을까.

부엌

넓고 듬직한
아버지의 뒷모습이
부엌에서만 보면
한없이 작아 보인다

누군가의 뒷모습을
애틋하게 만드는 공간

아버지도 이곳에서
내 뒷모습을 보실 때마다
같은 생각을 하실까.

홍시

이번 가을에도
외할머니는
감을 보내셨다

하나뿐인 사위가
제일 좋아하는 과일

지금은 떫으니
익으면 먹게나

예, 감사합니다
잘 먹겠습니다

매년 그들이
서로의 안부를
물을 수 있는
최고의 핑곗거리.

기일

두 손 가득
담길 꽃다발 대신
한 손에 잡힐
가녀린 한 송이
준비했어요

다시 왔을 때
볼품없이 놓여진
무수한 검은 빛깔들
볼 자신 없기에

감당할 만큼인
꽃 한 송이 바칩니다.

꿈

엄마
누가 그러는데
하늘나라 가면
그곳이 너무 좋아서
지상 일은 다 잊는대

그곳에서 안 아프고
행복할 수 있다니
감사하지만
엄마 딸 생각해서
꿈에 한 번만
나타나 주면 안될까?

나 요즘
무섭고 힘들어
그러니까
꿈에서 한 번만
안아주라.

출가외인

아무리
출가외인
이라지만

하나뿐인
여동생인데
왜 보러
안 오실까요

서로를 위해
보고 싶어도
참는 거야

그게 무슨 말이지
아직 나이만 들고
어른은 덜되었나보다.

생각

그런 생각이 들었어
차라리 내가 죽고
당신이 살았다면
더 나았을 텐데

그럼 내가
수백 번 죽었을 텐데

아버지 말씀에
마음이 쓰라렸다

엄마
남아있는 사람
어떻게 살라고
혼자 가면 어떡해.

눈물

가볍게
떠나야 할
발걸음에
내 눈물 한 방울
한 방울이
엄마 발걸음
잡으면 안 되잖아

머리로는 알지만
마음이 잘 안돼

그러니까
딱 오늘만
더
붙잡을게.

택배

엄마 옷들
저 위쪽으로
택배 부쳤다

버렸다고 하셨다면
슬펐을 텐데
택배로 부치셨다니
아버지 감사합니다

옷 보냈으니까
감기 걸리지 마시고
따뜻하게 지내세요.

사주

친구들과
생애 처음으로
사주 보러 갔다

넌 엄마 옆에
붙어있어야
일이 더 잘 풀릴 거야

저 엄마
돌아가셨는데요

딱하네
더 잘 될 수 있었을 텐데.

식탐

어머니는
맘에 드는 친구에게
내 비밀을 알려주었다

나는 식탐이 많아서
맛있는 거 사주면
좋아할 거라고

이제는 그 비밀
대신 말해줄 사람 없어
조금 많이 아쉽다.

툭

너무 힘들어서
우리를 버렸다
생각한 적 있다

가을 낙엽
툭 떨어지듯

꼭 잡은 손
툭 놓았다고

버림받았다
생각하니
더 비참해졌다.

기도

자꾸
징징댄다 하셔도
어쩔 수 없어요

살려달라는 기도에
덜컥
영원한 생명
주시면 어떡합니까

저는
당신의 뜻
이해하기까지
오랜 시간 걸릴 듯하니

그동안
하늘에 계신
우리 어머니
잘 부탁드려요.

데드리프트

자기 몸무게보다
무거운 바벨을
두 다리로 지탱하고
두 팔로 들어 올려
허리 피는 모습이
대단하더라

어쩌면
나도 매일
엄마라는 생각
떠올리고 내리는 동안
마음 한구석
단단해지지 않았을까.

놀이동산

놀이동산에
놀러 갔다가
엄마를 잃어버렸어

그래도
놀이동산 끝날 때
출입구 앞에서
만나기로 약속했으니까

엄마 없이 우리끼리
재미있게 놀다가
나중에 만나면
서로 못다한 일들
즐겁게 이야기 나누자

엄마 보고 싶다
우는 나에게
아버지가
하신 말씀.

교훈

아빠 몰래
엄마 뵈러
다녀온 적 있다
슬프고 비참했다

이 말을 듣고
누군가 말했다
자식이
부모 보러 가는 게
왜 비참하냐고

그러게
단순하게 생각하면
아무것도 아니네.

핸드폰

항상 침대에 누워
아픈 배 움켜잡고
핸드폰을 바라보셨다

알람 없는 핸드폰 보시며
나지막이 말씀하셨다

아무도 나 안 찾네

지금은
다들 엄마 찾는데
핸드폰이라도 들고 가지.

문턱

말없이 떠날까
밤마다 몰래
안방을 살폈다

문턱 너머 들려오는
흐느끼는 울음소리

그 시절
안방 문턱이
너무 높아
들어가지 못한 채
소리 없는 울음
삼켜야 했다.

이상형

넌지시 던진
엄마 보고 싶다는 말에
안쓰러운 눈빛 대신
같이 보러 갈까
말하는 사람

나란히 걷는
모녀의 뒷모습 보며
생각에 잠긴 나에게
하늘 좀 봐 하며
시선 돌려주는 사람

엄마 있어서 부럽다
심술보 섞인 연락을
가벼운 농담으로
끌어안을 수 있는 사람

너 엄마 표현
너무 많이 하면
남자들 다 도망간다.

고백

웃는 모습도
걸음거리도
엄마랑 똑같구나

아빠도
그런 생각
하시겠구나

미안해 아빠
자꾸 닮아가서
생각나게 해서.

선물

봄에는 가디건
여름에는 셔츠
가을에는 잠옷
겨울에는 패딩

아버지
선물 받을 때
슬픈 눈빛 말고
환한 미소 지어주세요

저는
아버지 밝은 웃음
선물 받고 싶어요.

애플민트

너만큼은
살려보겠다
영양제도 챙겨주고
흙도 갈아줬는데

노란 잎
힘없는 가지
고꾸라진 줄기

너 실망이야
너도 살아보려고
노력해야지

그렇게
자꾸 비실대면
노력한 나도
힘 빠지잖아.

찬스

냉장고가 비면
백종원 요리책
찬스

혹은
요리 영상
찬스

혹은
파워 블로거
찬스

그래도
막막하다 하면
고모 찬스

고모
반찬 좀
나눠주세요!

약속

너 돈 벌면
시끌벅적한 술집에서
비싼 안주와
시원한 맥주 마시며
신나게 떠들고
계산대 앞에서
생색내며 계산하는
네 모습을 받고 싶어

이제 그 약속
지킬 수 있는데
약속 건 사람이 없네.

생일

아버지가
미역국을 끓여주셨다

뭐지
왜 이렇게 맛있지?

원래
요리 잘했는데
들키면 계속 시킬까 봐
숨긴 거야

이제라도
알게 되어서
다행이네요

맛있는 미역국
만들어 주셔서
감사합니다.

고민

나라는 사람
설명할 때

그 일을
말하지 않아도
가능하다는 걸
깨달았을 때

그 일이
아무것도
아닌 것 같아
서글프더라

사실
누나도 그래

그러니까
아무 일 되지 않게
우리는 잊지 말자.

명칭

먼저 가셨으니
그분

떠나간 날은
그날

계신 곳은
그곳

처음에는
서운했는데
지금은
훨씬 낫네요.

무릎

동자스님 이마처럼
윤기 나고
아기 볼처럼
부드러웠다

그 촉감이 좋아
손끝으로 훑으면
간지럽다며
치마폭으로
쏙 감추셨다

지금은
차갑고 딱딱한
묘비석 어루만지며
그 무릎
생각한다.

결혼 행진곡

피아노 연주 중
이 곡을
가장 좋아하셨다

하얀
웨딩드레스 입은
나를 상상하면
기분이 좋아지신다고

언젠가
이 노래 나올 때
비어있을 엄마 자리
마주할 수 있을까
안 울 수 있을까.

화장

늘 당신보다
키가 작다며
구박하시더니

정작 당신은
하얀 가루 되어
작은 항아리 담긴 채
내 품속으로
들어오셨다.

친구

엄마
내가 힘들어하면
위로해주고
울어주고
안아주는
친구들이 있어

그래서 나는
그들에게
받은 마음
꼭 간직하고 있다가

먼 훗날
친구가 힘들어할 때
받은 마음
다시 돌려주려고

꼭 품고 있다가
나도 뜨겁게
안아주려고.

보정 기능

인생 일부를
약간 보정한다면

어두운 부분은
휘도와 밝기 높이고

차가운 부분은
색 명료도와 따뜻함 추가하고

지우고 싶은 부분은
개체 지우기로 없앤 후

환하고 밝은 부분만
기억하고 싶어.

미소

눈 감으면
고통에
몸부림치시던
얼굴만 떠올랐다

그 얼굴만
기억하기에
미소가 아름다웠던
그녀이기에

웃는 얼굴만
생각나도록
노력하니

언제부터인가
환한 미소 짓는
어머니 얼굴
보였다.

여우비

그날
여우비가 왔다

해는 쨍쨍한데
가랑비 부슬부슬 내려
정신없는 틈을 타
훌쩍이며 울었다

차라리
소나기였음
큰소리로
엉엉 울었을 텐데.

이불

한밤중에
마음이 무겁고
아파서 깬다

손으로 가슴을
몇 번이고 내리쓸면
무거운 무언가가
목을 타고 올라가
머리를 지끈거리게 한다

머리를 감싼 채
무거움 못 이기고
고꾸라지면
그것들이
눈으로 흐른다

아마
이불 여러 겹
덮고 자서
그런가 봐.

진심

우리
낳아줘서
고맙대요

엄마를 만나
후회 없이 사랑했고
덧없이 행복했던
시간이셨대요

언젠가
다시 만나도
사랑했었다
말할 거래요

우리 엄마
성공했네.

후회

병원 치료
안 받으시겠다
단호하신 어머니
치마자락이라도
붙잡고 울어볼걸

밉다고 소리도 치고
안된다고 떼도 부리고
목이 쉬도록
소리 내어 울어볼걸

그렇게 해서라도
하루라도 더
살 수만 있었다면

그 하루 내내
사랑한다고
한없이 말씀드릴걸.

존버

내가 빨리 죽어야
다들 편할 텐데

나는
두 손 꼭 잡고
대답했다

환자분 떠나면
남은 사람들
절대 편하지 않으니

꼭 힘내서
보란 듯이
최선을 다해
살아달라고

우리
야무지게
존버 합시다.

포옹

오랜만에 만나
어떤 말부터
꺼내야 할지
모를 때

지난 시간
힘들었겠다며
저의 행복을
응원하실 때

그 순간만큼
당신을
제 어머니라고
생각하며
포옹합니다

두 팔 벌려
따뜻한 품
빌려주셔서
감사합니다.

끝맺음

제 글을 읽는 동안
저를 생각하셨다면
당신의 귀중한 시간에
제가 잠시 머물렀으니
성공

제 글을 읽고
당신 어머니가
떠올랐다면
저는 목표한바
이루었으니
성공

저는 당신이
저보다 훨씬
행복하고
잘되었으면 좋겠습니다

그 꽃길 속
당신이 사랑하는
사람들이 함께하기를
늘 응원합니다.

홍성민

–

사랑에 관하여

날이 많이 찹니다
따뜻하게 입었으면 좋겠습니다

혹여, 아프더라도
홀로 삭이지는 말았으면 합니다

고백

지금 너의 마음은
열렸을까, 닫혔을까

그렇다면 나는
기다릴까, 두드릴까

세상에서 가장 설레는 OX 퀴즈.

다이빙, 널 향해

내 진심의 밀도가 빼곡한 탓에
너의 바다가 깊지 않다면
이내 땅에 부딪히고 말 거야

두렵지만, 그래도 뛰어들래
내 진심이 무거운 만큼
네 마음도 충분히 깊다 믿을래

날 감싸온 모든 것을 벗어내고
폴 짝, 힘차게 뛰어올라
풍 덩, 네 속에 잠길래.

그네에 태운 진심

앞으로 갔다,
뒤로 갔다,
반복되는 그네의 고, 백
그때 넌지시 건넨 나의 고백

찰나의 정적
흔들린다
네가 타는 그네가
애가 타는 마음이.

고백 금지 놀이터

오랜 기다림의 끝
그네에 태워 보낸 진심
그대의 길어지는 고민
흔들리는 게 너인지 그네인지

시소에 올라탄 두 마음
너도 나만큼 무거울까
두 발이 땅에 닿지 않기를,
간절히 바라는 수평

아차차, 슈 욱
스쳐 가는 주마등
한순간에 떨어져 버린
사랑의 미끄럼틀.

그대를 공전해요

어딜 가도 제가 보인다 하셨죠
우연치곤 꽤나 신기하다 하셨죠
우연을 핑계 삼아
우리의 인연을 지켜내고픈 마음
당신은 알까요

당신의 중심이
내가 아니란 것 알지마는
내 세상의 중심은 당신이기에
당신이 어딜 가든, 누굴 바라보든
항상 그 곁을 맴돌아요

이 이상 다가가진 않을게요
적당한 거리를 유지한 채
몇 번만 더 마주치기로 해요
계속된 우연에
필연이라 느낄 때까지

우연을 핑계 삼아
우리의 인연을 지켜내고픈 마음
당신은 알까요.

평범한 하루

오늘 하루는 어떠셨는지요
저야 늘 같습니다

회사를 가고
저녁을 먹고
운동을 하고
노래를 듣고,

당신을 생각합니다
축복의 낱말들 사이
소망 한 줄 슬쩍 포개어
당신을 위한 기도까지

역시나 오늘도
별다를 것 없는
지극히 평범한 하루입니다.

너무 반가워요. 여기까지 어쩐 일이에요.
아, 근처에 볼일이 있어서요.
그렇구나. 볼일은 잘 보셨어요?
아직 진행 중인데, 왠지 느낌이 좋네요.
다행이에요. 이리 먼 곳까지, 중요한 볼일인가 봐요.
놓쳐선 안 될 일이라. 앞으로도 종종 올 것 같아요.
좋네요. 오시면 또 들러주세요.

짧디짧은 몇 마디였지만
한껏 올라간 당신의 입꼬리를 보았으니
충분히 보람찬 일이었다.

당신을, 볼 일

요즘 걱정이 많아
혹시라도,

네가 지어 보인 그 아릿한 미소의 출처가
다른 이의 호의 어린 연출에서 비롯된 것이 아닐까

네가 내게서 느낀 오묘한 감정의 연장선이
슬쩍 숨어있던 부정의 기억과 상관되지는 않을까

대체 무슨 말이냐고?
음···
그냥, 아무것도 아니야.

좋아한다는 말이에요

바람

책임 없는 말들의 안개 속
옅지만 분명한 눈빛을 볼 수 있기를

진실도 왜곡되는 세상이지만
나의 진심은, 외면받지 않기를.

당신은 나의 꿈

일종의 개꿈
혹은 예지몽
실망 뒤에 감추인 설렘

깨어서도 느껴볼 수 있을까
이 시간의 기시감
그때만을 기다리며
그대만을 바라보며

어제처럼 오늘도
당신 꿈을 꿉니다
언젠가는 내게 올
당신을, 꿈꿉니다.

들키고픈 진심

그대 향한 내 마음
모르는 척
여기 두고 갈게요

혹시 궁금하거든
실수인 척
살짝 열어보세요

그 대신,
꼭 책임지셔야 해요.

당신과는 천천히

참 각박하고 빠른 세상
일일이 모든 걸 확인할 필욘 없지만
때론 알면서도, 아끼고픈 때가 있어

내 눈에 비친 네 뜨거운 마음
모른 척 애써 눈을 감고

열을 알아도
하나부터 알아가고픈 마음

눈앞의 불꽃이
순간의 섬광이 아니길 바라는 마음.

네 마음에, 나 있기를

크고 단단한 바위를 깨는 법을 알아? 바위틈에 들어간 작은 씨앗과 조급해하지 않는 마음, 이거면 충분하대. 아무리 강한 바위도 점점 자라나는 생명의 힘을 막을 수 없고, 시간이 지나면 조금씩 갈라지다 결국 마음을 열게 되지. 묵묵히 믿고 기다리는 수밖에 없더라고. 그래서 나도, 포기하지 않고 기다리는 중이야.

우와 대단하다. 너도 바위 사이에 씨앗을 넣어둔 거야?

아니, 좀처럼 열리지 않던 너의 마음에. 작지만 강한 사랑의 씨앗이 훗날 싹을 틔워, 네 마음에 나 있기를 바라며.

꽃보다, 너

풀꽃은
자세히 보아야 예쁘다
오래 보아야 사랑스럽다

하지만 넌,
멀리서 보아도 예쁘고
잠깐 보아도 사랑스럽던데.

사소한 고백

어릴 적부터 어머니가 말씀하셨어요
제가 좋은 것만 보고 좋은 말만 들었으면 한다고
지금도 마찬가지래요

그래서 전화했어요
목소리 듣고 얼굴도 봐야겠으니
나와요, 집 앞이에요.

결핍이 사랑이 되는 순간

볼수록 별로입니다
카리스마란 찾아볼 수 없는 목소리에
매사가 귀찮고 게으른 당신
참, 결단력도 없어 어찌나 답답한지요

그런데, 이상합니다
무관심의 분명한 근거들인데
당신이 완벽하지 않다는 게
조금씩 부족한 당신의 결핍이 존재한다는 게
왜 이리 반가운 걸까요

이미 빽빽한 줄 알았는데,
당신의 숨겨진 흠들을 발견할 때
당신께 스며들 틈들이 있음에 감사합니다

음, 더 이상의 부정은 힘들겠지요
그럼 하나만 여쭙겠습니다

당신의 그 결핍들,
제가 채워도 되겠습니까.

탓은 없는 상황의 역설
오해가 쌓이고 진심은 이울었을 때

마음을 나누었던 추억의 추도
의심의 무게를 못 이겨 기울었을 때

울리는 벨소리, 긴장의 잠시
"보고 싶어 전화했소."

모든 것이 기우였을 때

우린 결코 영원할 수 없대
뭐, 틀린 말은 아니겠지
근데 그거 알아?
찰나가 모여 영원을 이룬다는 거

0과 1 그 사이에
얼마나 무수한 수들이 존재하며
우리가 함께한 하루엔
얼마나 무수한 순간들이 빛을 발하는지

유한한 시간을 가진 우리지만
무한한 찰나의 행복을 느꼈으니
우린 수없이 사랑했고
앞으로도 영원할 거야.

우리만의 영-원

이별

함께 올라
홀로 떨어지는 일

손잡고 끌어준 그댈
내 손으로 밀쳐내는 일

세상에서 가장 씁쓸한 반전영화.

나쁜 사람

포근했던 눈이 어느새
단단한 우박 되어

너는 무심히도 내렸고
나는 속절없이 맞았다

먼저 뛰어든 게 나라지만,
아무리 그랬대도,

나에게 넌
참 나쁜 사람.

생기 넘치던 계절들이 지나고
어느덧, 가을이 완연합니다

예견된 추락 때문일까요
속 깊이 들어찬 슬픔에
잎 밖에 드러난 단풍의 낯빛

하루하루 휘청이다, 결국
애써 붙잡고 매달리던 손을
조금씩 놓아주는 낙엽들

무르익은 자연의 순리대로
하나둘
떨어져 갑니다

사랑했던 가을이
힘없이 내려앉습니다.

Fall

조금만 기다려줘
나의 오랜 꿈, 손에 꼭 넣을 테니까
응, 넌 분명히 해낼 수 있어

그때 응원하지나 말걸

눈앞의 꿈을 잡겠다고
쥐고 있던 내 손을 놓을 줄 알았으면

서로를 바라본 매일 밤
네가 꾸던 그 꿈에,
내가 없는 줄 알았으면.

Please dreams come false

마른 마음에 날벼락

예상치 못한 어느 밤
찰나의 번쩍
당신의 모습이 보였어요

그리운 얼굴에 헤매던 중
우르릉 쾅쾅
이젠 목소리도 들리네요

다 마른 줄 알았는데
당신이 내 눈과 귀를 스쳐 간 순간
또다시, 빗물이 쏟아져요.

후회는 아닙니다

떠나간 그대여
그대와 영원할 수 없음에도
그토록 염원했던 까닭은

개화의 시기에
낙화를 생각지 못하는
섣부른 어리숙함이요

설령 아스라이 사라진대도
전부 고스란히 사랑하겠다던
오만한 어리석음 때문입니다.

시간이 약이라는 것
이 또한 지나가리라는 것
돌아보면 다 추억이 되리란 것
모두, 분명한 진리입니다

하지만, 다 알면서도,
심장을 조여오는 상실감에
한없이 아려오는 이 순간을
막을 수는 없나 봅니다.

아픔 또한 진리기에

찬란하던 태양도 매일같이 지는데,
왜 나는 항상
널 이기려고만 했을까.

내가 뭐라고

사랑이라 함은

사랑이라 함은
당신의 태도와 관계없이
당신을 향하는 일관된 마음이니,

미안해하지 말아요
제가 분명히
사랑한다고 했잖아요.

시든, 녹은, 떠난

만개한 꽃을 보며
행복을 느꼈고

새하얀 눈을 보며
평안을 얻었고

내 옆의 너를 보며
사랑을 알았다

그거면 됐다

사라지는 모습까지 아름답길 바라진 않으니,
그거면 됐다.

그대의 안녕을 빕니다

당신 앞에 올바로 서고 싶습니다
그래서, 당신 곁을 떠나려 합니다

당신과 마주 보며, 함께 성장할 줄로 알았습니다
각자의 뿌리를 깊게 내린 채
올곧고, 바르게

시간이 많이 흐른 후에야,
곧게 자란 줄만 알았던 제 줄기가
당신에게 기울어져 자랐음을
당신에게 깊이 기대고 있었음을 알았습니다
그리고 무엇보다
그 무게에 못 이겨 당신도 조금씩 기울어감을 느낄 때
어떠한 작별의 이유도, 더 이상 필요치 않았습니다

기운 줄기는 잘라내는 것이 마땅한 줄 압니다
절단의 고통이야 얼마든,
상실의 고통으로 묻으려 합니다
하지만 그대가 받을 고통은, 어찌 책임져야 할까요
부디 삐뚤어진 저를 탓하십시오

극심의 고통을 선사한 주제에
그대 곁에 다시 설 수 있단 기대는 하지 않습니다
그럼에도, 언젠가 우연히 마주친다면,
달라진 제 모습을 보일 수 있길 바라봅니다

그간의 고운 추억들 모두 거름 삼아
스스로 제 줄기를 올바르게 세운 후
곁에 있는 이를 향해
마음껏 가지를 뻗어낼 수 있을 때.

떠나는 마당에 말이 길었습니다
쉬이 사라지지 않는 미련의 조각들은 차치하고
이만 인사를 줄여야겠지요

문득 떠오르는 날에도,
그대 스치우는 바람은 차지 않길.

하나부터 시작된 사랑

사랑에 각박해진 즈음
그곳에 다녀왔습니다
우연히, 그러나 필연적으로

시간을 거꾸로 보낸 얼굴들
첫 만남에 마음을 열어준 눈빛들
꾸미지 않아도 넘치게 고운 모습들

사랑은 사랑을 낳습니다
사랑을 주고자 떠났고
사랑을 채우고 돌아왔습니다

사랑은 셈할 수 없습니다
아껴야 할 것들이 있다지만
사랑은 아닌가 봅니다

하나부터 시작된 사랑,
그 끝은 보이지 않습니다.

사랑의 궁극

모든 것을 참으며
모든 것을 믿으며
모든 것을 바라며
모든 것을 견디는 마음

베푼 선을 악으로 받는다 해도
가진 전부를 포기해야 한다 해도
이 마음, 알아주지 않는다 해도

언제나
변함없이
당신을 선택하는 마음

조건 없는 궁극의 사랑
그 사랑 닮기를 원합니다.

사랑하는 그대에게

한참을 달려온 그대여
언제나 운전대를 잡았던 그대이지만
오로지 앞만 보아야 했던 그대이지만
이제, 자리를 바꿔요

맘 편히 내 뒤에 기대어
스쳐 간 주위의 풍경들을 둘러보아요
흘러간 당신의 순간들을 돌아보아요
이젠, 그래도 됩니다.

사랑하는 그녀에게

줄곧 다짐했다
머지않은 미래에
매일의 저녁을 함께할 사람이 생기면,
기꺼이 내 모든 사랑을 주겠노라고
그녀의 매 순간들을
무한한 애정의 시선으로 바라보겠다고

그렇게 훗날의 로맨스를 핑계하며
은연중 현재의 사랑을 아끼던 때,

그녀가 보였다
이미 매일의 저녁을 함께하고 있으며
내 가진 모든 사랑을 주어도 부족할 사람

뱃속 아들의 흔적을 평생 남긴 채
스물 청춘의 삶을 온전히 내게 바친,

엄마가 보였다.

태양에게, 바다가

더 높이 올라
난 더 깊이 내려갈게

저 높은 하늘 어디선가
깊숙한 외로움과 두려움에
혹여나 떨어진다 해도

내 위에 잠기도록
너른 품에 꼭 안겨
네가 아프지 않도록

난 더 깊이 내려갈게
그러니까 너는,
꼭 더 높이 올라.

바다에게, 태양이

네게 받은 사랑 연료 되어
눈부시듯 뜨겁게 타오른다

고맙고 또 아려오는 마음에
한줄기 제일 고운 빛
너에게 보낸다

깊고 어둔 네 속 얼어붙지 않게
따스한 이불 되어
널 덮어주길

외롭고 쓸쓸한 네 맘 들키지 않게
찬란한 보석 되어
널 빛내주길.

녀석들

벌써 까먹다니 충격이고
금방 잊었다니 다행이야

눈치 없이 떠들어서 미운데
눈치 안 보고 안아줘서 고마워

너희 때문에 힘들지만
너희 덕분에 힘이 난다

병 주고 약 주는 녀석들
많이 아끼는 거 알지!

괜찮아요

잘못된 행동이었을 뿐
잘못된 아이는 아니고

망한 시험이었을 뿐
망한 학생은 아니고

안 풀리는 하루였을 뿐
안 풀리는 인생은 아니기에.

존중 그리고 사랑

울창한 녹빛 숲을 바라봅니다

전체를 이루는 각자의 그루들
같은 숲에 산다고
모두 같은 나무는 아닐 테지요

붉게 물든 노을을 바라봅니다

하늘엔 차별이 없기에,
살색이 존재치 않는 것처럼
어쩌면 하늘색도 단정할 순 없겠습니다

반짝이는 윤슬을 바라봅니다

유수의 모든 면이 찬란히 빛나듯이
의도된 일관성보단, 있는 그대로
꾸밈없는 불규칙성을 사랑하렵니다.

행복의 비결

상실에 실망한 마음이 아려올 때
상시에 지켜준 곁들에 감사하기

작은 손해를 보았을 때
받은 은혜를 잊지 않기

절망이 덮쳐올 때
소망을 꼭 붙들기.

오늘은 그대에게 고운 꽃을 보내봅니다

2021년 12월 22일 초판 1쇄 발행
2021년 12월 22일 초판 1쇄 인쇄

지은이 | 이교준, 이동건, 고은서, 류연주, 홍성민

책임편집 | 송세아
편집 | 안소라, 이향
제작 | theambitious factory
인쇄 | 아레스트

펴낸이 | 이장우
펴낸곳 | 꿈공장 플러스
출판등록 | 제 406-2017-000160호
주소 | 서울시 성북구 보국문로 16가길 43-20 꿈공장1층
전화 | 010-4894-9079
팩스 | 031-624-4527
이메일 | ceo@dreambooks.kr
홈페이지 | www.dreambooks.kr
인스타그램 | @dreambooks.ceo

꿈공장+ 출판사는 모든 작가님들의 꿈을 응원합니다.
꿈공장+ 출판사는 꿈을 포기하지 않는 당신 곁에 늘 함께하겠습니다.

ISBN | 979-11-92134-01-7

정 가 | 13,000원